ПУТАНИЦА

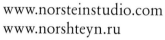

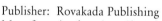

www.norsteinstudio.com
www.norshteyn.ru

ISBN 978-0-9845867-5-2 $17.95

Publisher: Rovakada Publishing
Manufacturing location: Shenzhen, China
Production date: June 10, 2011
Batch number: Rova 201106101
Materials used in this publication are tested according to
The Consumer Product Safety Improvement Act (CPSIA)

ПУТАНИЦА

Корней Чуковский
Иллюстрации Франчески Ярбусовой

Rovakada Publishing
San Francisco
2011

Замяукали котята:
«Надоело нам мяукать!
Мы хотим, как поросята,
Хрюкать!»

А за ними и утята:
«Не желаем больше крякать!
Мы хотим, как лягушата,
Квакать!»

Свинки замяукали:
Мяу, мяу!

Кошечки захрюкали:
Хрю, хрю, хрю!

Уточки заквакали:
Ква, ква, ква!

Курочки закрякали:
Кря, кря, кря!

Воробышек прискакал
И коровой замычал:
Му-у-у!

Прибежал медведь

И давай реветь:
Ку-ка-ре-ку!

И кукушка на суку:
«Не хочу кричать ку-ку,
Я собакою залаю:
Гав, гав, гав!»

Только заинька
Был паинька:
Не мяукал
И не хрюкал —
Под капустою лежал,
По-заичьи лопотал
И зверюшек неразумных
Уговаривал:

«Кому велено чирикать —
Не мурлыкайте!
Кому велено мурлыкать —
Не чирикайте!
Не бывать вороне коровою,
Не летать лягушатам под облаком!»
Но весёлые зверята —
Поросята, медвежата —
Пуще прежнего шалят,
Зайца слушать не хотят.

Рыбы по полю гуляют,
Жабы по небу летают,
Мыши кошку изловили,
В мышеловку посадили.

А лисички
Взяли спички,
К морю синему пошли,
Море синее зажгли.

Море пламенем горит,
Выбежал из моря кит:
«Эй, пожарные, бегите!
Помогите, помогите!»

Долго, долго крокодил
Море синее тушил
Пирогами, и блинами,
И сушёными грибами.

Прибегали два курчонка,
Поливали из бочонка.
Приплывали два ерша,
Поливали из ковша.
Прибегали лягушата,
Поливали из ушата.
Тушат, тушат — не потушат,
Заливают — не зальют.

Тут бабочка прилетала,
Крылышками помахала,
Стало море потухать —
И потухло.

Вот обрадовались звери!
Засмеялись и запели,
Ушками захлопали,
Ножками затопали.

Гуси начали опять
По-гусиному кричать:
Га-га-га!
Кошки замурлыкали:
Мур-мур-мур!
Птицы зачирикали:
Чик-чирик!
Лошади заржали:
И-и-и!
Мухи зажужжали:
Ж-ж-ж!
Лягушата квакают:
Ква-ква-ква!
А утята крякают:
Кря-кря-кря!
Поросята хрюкают:
Хрю-хрю-хрю!

Мурочку баюкают
Милую мою:
Баюшки-баю!
Баюшки-баю!

Корней Иванович Чуковский (1882 – 1969)
Дество и юность писателя прошли в Одессе. Печататься начал в 1901 году в газете «Одесские новости». В 1905 уезжает в Петербург, где занимается журналистикой. В 1908 году выходит первая книга Чуковского «От Чехова до наших дней». В 1915 году Чуковский впервые обращается к творчеству для детей — пишет поэму «Крокодил». В 1922-1926 годах пишет детские сказки «Мойдодыр», «Тараканище», «Путаница» и др. В эти же годы в его переводах и пересказах выходят «Сказки» Киплинга, «Робинзон Крузо», «Том Сойер», «Барон Мюнхаузен». В 1926 году выходит книга «Некрасов», а в 1928 — «Маленькие дети», ставшая прообразом будущей книги «От двух до пяти». В 50-х годах Чуковский переселяется из Москвы в дачный посёлок Переделкино. В 1962 году Оксфордский университет присвоил Корнею Чуковскому почётное звание доктора литературы.

Франческа Альфредовна Ярбусова (род. в 1942) — советский и российский художник-постановщик мультипликационных фильмов, жена, друг и соратник режиссёра Юрия Норштейна. В 1961-1967 годах училась во ВГИКе, получив диплом художника мультипликационного фильма. В 1964-1989 годах работала на киностудии «Союзмультфильм» — сначала художником-декоратором (до 1966), затем художником-постановщиком — с режиссёрами Ю.Б.Норштейном, В.П.Данилевичем и В.Д.Дегтярёвым. Учавствовала преимущественно в создании куколных фильмов и фильмов в технике перекладки («Лиса и заяц», «Цапля и журавль», «Сказка сказок», «Ёжик в тумане»). С 1981 года работает над мультипликационным фильмом «Шинель» по повести Н.В.Гоголя.